à Charles, tendrement
MARIE-ALINE

© 1996, Éditions Mango
Loi n° 49.956 du 16 juillet 1949
sur les publications destinées à la jeunesse.
Dépôt légal: février 1999
ISBN 2-7404-0580-4

Imprimé en Belgique

TOM VA À L'ÉCOLE

Illustrations de Marie-Aline Bawin
Texte de Christophe Le Masne

MANGO *JEUNESSE*

Demain, je vais pour la première fois à l'école.
Je me demande bien ce que je vais pouvoir y faire,
je ne suis pas rassuré du tout.

Papa et Maman m'expliquent
que je vais avoir une très gentille maîtresse.
Ils n'en savent rien,
ils ne la connaissent pas encore, ma maîtresse.

Maman m'a acheté un crayon noir,
une gomme et des feutres de toutes les couleurs.

Et puis aussi un beau sac à dos.
J'aime bien mettre mon nez dedans,
il sent très bon le neuf.

Avec Maman, je prépare mes affaires.
— Maman, je crois que je suis malade,
je ne peux pas aller à l'école...

Alors Maman prend ma température
et me dit que je ne suis pas malade du tout.
J'ai de moins en moins envie d'y aller demain.

Maintenant, je vais dire bonsoir à Papa.
— Quelle chance tu as d'aller à l'école, me dit-il,
tu vas apprendre plein de choses passionnantes.

Une fois dans mon lit, je dis à Maman
qu'on pourrait demander à la maîtresse de venir ici.
Et, avec tous les élèves, on se mettrait dans ma chambre...
Alors Maman me regarde en souriant et me fait un gros câlin.

Je n'arrive pas à m'endormir.
Par la fenêtre, je regarde la Lune,
et je m'aperçois que j'ai très peur pour demain...

— Debout, c'est l'heure de se lever,
me dit doucement Maman. Déjà le matin !
J'ai l'impression que je viens de m'endormir.

Le cœur serré, je prends mon petit déjeuner.
Mais je veux être courageux,
et je ne vais pas pleurer.

Dans la rue, il y a beaucoup d'enfants
qui se font accompagner par leurs parents
et qui se retiennent de pleurer.

Mais, devant l'école,
c'est très dur de quitter sa Maman...

— Prends ça, me dit Maman
en me donnant un mouchoir.
Dès que tu auras du chagrin,
regarde-le et pense à moi.

La maîtresse arrive pour nous chercher.
Elle a l'air très gentille.
En rentrant dans le grand bâtiment,
je serre très fort le mouchoir de Maman.

On rentre dans une pièce qui sent le propre.
La maîtresse nous dit que c'est notre salle de classe.
Je regarde les jouets et les dessins au mur. C'est très joli.

Mon voisin s'appelle Lou.
Il n'a pas l'air content d'être ici
parce qu'il n'arrête pas de pleurer.

Je veux le consoler,
et je lui donne le mouchoir de Maman
pour qu'il sèche ses larmes.

Le matin, on fait de la peinture et des découpages,
et on chante des chansons.

À la récréation, je joue avec Lou.
Quand il ne pleure pas, on s'amuse bien ensemble.

Après la sieste, la maîtresse nous raconte
des histoires avec des marionnettes.

La cloche sonne parce que c'est la fin de la journée.
Déjà ! Je n'ai pas vu le temps passer !

Maman m'attend à la sortie de l'école.
Je suis très content de la revoir mais,
en même temps, je suis pressé de revenir demain
pour retrouver Lou et terminer mon beau dessin.